D1480686

Sylvie Girard-Lagorce

A CUISINER
—*L'Universel*—

SOLAR
EDITIONS

Bavarois cacao fruits rouges

**4 personnes • Préparation : 20 minutes
Cuisson : 10 minutes • Réfrigération : 2 heures**

- 1 carré de chocolat Lindt® L'Universel
- 25 cl de lait écrémé
- 1 jaune d'œuf
- 1,5 feuilles de gélatine
- 25 g de cacao en poudre
- 150 g de fromage blanc à 0 %
- 4 c. à s. d'édulcorant
- 100 g de fraises
- 100 g de framboises

1. Versez le lait dans une casserole, ajoutez le carré de chocolat, et faites bouillir. Pendant ce temps, faites tremper la gélatine dans de l'eau froide. Retirez la casserole de lait du feu et attendez quelques instants, ajoutez le jaune d'œuf, mélangez et faites cuire sur feu doux sans laisser bouillir en remuant sans arrêt avec une spatule.

2. Dès que le mélange nappe la spatule, retirez du feu, ajoutez la gélatine essorée, puis le cacao. Passez au tamis et laissez tiédir. Fouettez le fromage blanc et incorporez-le avec la moitié de l'édulcorant. Répartissez dans des moules individuels. Mettez au réfrigérateur pendant 2 heures.

3. Mixez les fraises et les framboises avec le reste de l'édulcorant. Démoulez les bavarois sur des assiettes et nappez-les du coulis.

American cookies

40 biscuits environ • Préparation : 30 minutes
Cuisson : 10 minutes

- 180 g de chocolat Lindt® L'Universel
- 140 g de beurre
- 100 g de sucre brun
- 100 g de sucre semoule
- 1 œuf
- 225 g de farine
- 1 c. à c. rase de levure alsacienne
- Sel fin

1. Concassez le chocolat en petits morceaux. Ramollissez 110 g de beurre dans une terrine à la spatule, ajoutez les sucres, battez le tout pour obtenir une consistance mousseuse, puis incorporez l'œuf.

2. Tamisez la farine avec la levure et une pincée de sel. Ajoutez-la petit à petit dans la terrine où se trouve le mélange sucre-beurre-œuf. Incorporez ensuite le chocolat concassé sans trop travailler la pâte.

3. Prélevez des portions de pâte avec une cuiller à soupe et déposez-les sur la plaque du four, graissée avec le reste de beurre. Aplatissez-les avec la paume de la main mouillée. Enfournez à mi-hauteur et faites cuire au four à 180 °C (th. 6) pendant 10 minutes.

4. Sortez les biscuits du four, décollez-les et laissez-les refroidir complètement sur une grille.

Gratin d'abricots meringué au cacao

**4 personnes • Préparation : 15 minutes
Cuisson : 8 minutes**

- 2 carrés de chocolat Lindt® L'Universel
- 8 abricots juste mûrs
- 1 c. à s. d'édulcorant
- 1 gousse de vanille
- 4 blancs d'œufs
- 1 jaune d'œuf
- 2 c. à s. de cacao
- 1 pincée de sel

1. Plongez les abricots dans une casserole d'eau portée à ébullition pendant quelques secondes, égouttez-les, pelez-les et coupez-les en deux, puis retirez le noyau.

2. Remettez les oreillons d'abricots dans une casserole, ajoutez l'édulcorant, 25 cl d'eau et la gousse de vanille fendue en deux. Faites cuire pendant 5 minutes et laissez refroidir dans le sirop. Égouttez-les soigneusement et épongez-les.

3. Rangez-les, côté bombé dessus, dans un plat rond en porcelaine à feu. Faites fondre le chocolat. Battez les blancs d'œufs en neige très ferme avec une pincée de sel. Ajoutez à cette neige le jaune d'œuf et le chocolat fondu.

4. Recouvrez les abricots de cette préparation et passez le plat dans le four à 240 °C (th. 8) pendant 3 minutes. Poudrez du cacao à la sortie du four et servez.

Crème mexicaine

4 personnes • Préparation : 10 minutes
Cuisson : 20 minutes • Réfrigération : 1 heure

- 125 g de chocolat Lindt® L'Universel
- 50 g de beurre
- 70 cl de lait
- 4 c. à c. de café soluble
- 1 bâton de cannelle
- 1 œuf
- 20 g de fécule
- 100 g de miel liquide
- Cacao en poudre

1. Râpez le chocolat et mélangez-le avec le beurre ramolli (travaillé en pommade dans une jatte). Faites chauffer le lait dans une casserole. Ajoutez dans le lait le café soluble et le bâton de cannelle.

2. Remuez pendant 1 minute, puis ajoutez le chocolat mélangé avec le beurre. Faites cuire en remuant sur feu doux pendant 10 minutes environ. Mélangez par ailleurs dans une terrine l'œuf, la fécule et le miel jusqu'à obtenir une consistance bien lisse.

3. Versez le contenu de la casserole sur ce mélange en fouettant sans arrêt. Remettez la préparation sur le feu et faites cuire en remuant sans laisser bouillir jusqu'à obtenir une consistance épaisse.

4. Retirez la casserole du feu et répartissez son contenu dans quatre coupes, en retirant le bâton de cannelle. Mettez au réfrigérateur pendant 1 heure. Poudrez de cacao au moment de servir.

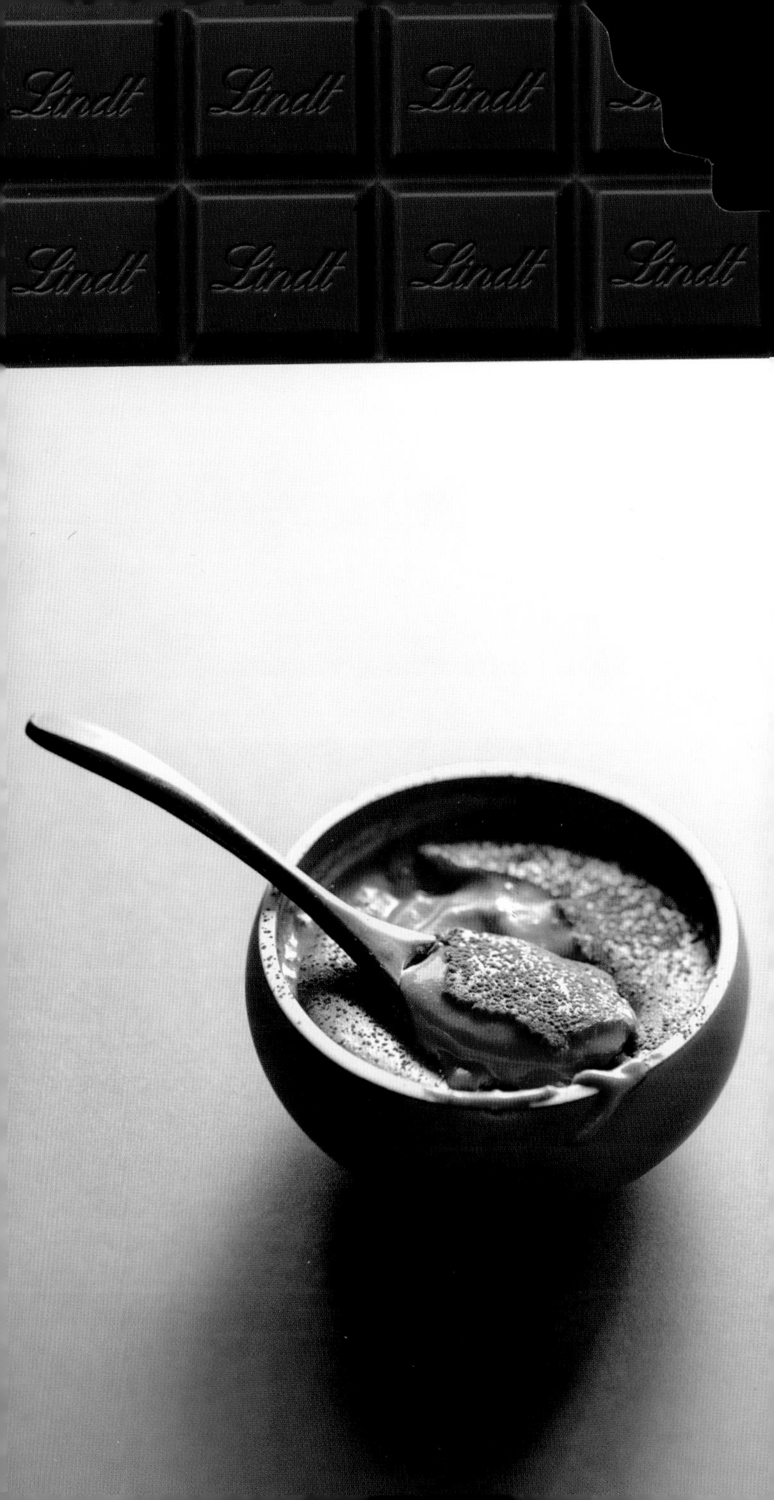
Lindt
Lindt
Lindt
Lindt
Lindt
Lindt
Lindt

Chocolat chaud à l'ancienne

4 personnes • Préparation : 5 minutes
Cuisson : 10 minutes environ

- 225 g de chocolat Lindt® L'Universel
- 1 l de lait entier
- 1 sachet de sucre vanillé
- Quelques pincées de cannelle

1. Cassez le chocolat en petits morceaux réguliers et mettez-les dans une casserole à fond épais. Posez sur feu doux et laissez fondre doucement en ajoutant 2 cuillerées à soupe d'eau. Surveillez attentivement pour ne pas laisser brûler.

2. Par ailleurs, faites chauffer le lait dans une casserole. Lorsque le chocolat est bien ramolli, ajoutez le sucre vanillé et la cannelle. Versez une tasse de lait bouillant et fouettez vivement le mélange jusqu'à obtenir une consistance homogène.

3. Incorporez le reste de lait bien chaud sans cesser de fouetter. Versez le chocolat bien mousseux dans une chocolatière ou répartissez-le aussitôt dans des tasses à chocolat. Vous pouvez ajouter 10 cl de crème fleurette dans la chocolatière et fouetter une dernière fois très vite avant de servir.

Brownies
aux noix

20 portions • Préparation : 25 minutes
Cuisson : 25 minutes

- 150 g de chocolat Lindt® L'Universel
- 180 g de sucre semoule
- 2 œufs
- 100 g de beurre
- 100 g de farine
- 1 sachet de sucre vanillé
- 90 g de cerneaux de noix hachés
- 2 c. à s. de cacao
- 1 c. à s. de sucre glace

1. Mélangez dans une terrine le sucre semoule et les œufs. Faites fondre le chocolat cassé en petits morceaux dans une casserole sur feu très doux avec 1 cuillerée à soupe d'eau.

2. Incorporez au mélange sucre-œufs 50 g de beurre, puis la farine et ensuite le sucre vanillé. Ajoutez ensuite le chocolat fondu et les noix hachées.

3. Versez la pâte dans un moule rectangulaire beurré. Faites cuire dans le four pendant une vingtaine de minutes à 230 °C (th. 7/8). Laissez refroidir complètement, puis découpez la pâte en petits pavés.

4. Ramollissez le reste de beurre (30 g environ) à la spatule, ajoutez-lui le cacao et le sucre glace. Étalez ce glaçage sur les pavés avec une petite spatule. Laissez refroidir complètement avant de servir.

Couronne tout-choco biscuitée

6 personnes • Préparation : 30 minutes
Cuisson : 10 minutes • Réfrigération : 4 heures

- 200 g de chocolat Lindt® L'Universel
- 6 jaunes d'œufs
- 225 g de sucre
- 3 c. à s. de gélatine en poudre
- 45 cl de lait entier
- 22 petits biscuits croquants aux amandes (type amaretti italiens)

1. Réunissez les jaunes d'œufs et le sucre dans une terrine et travaillez-les avec un fouet jusqu'à ce que le mélange soit mousseux et jaune pâle.

2. Faites dissoudre la gélatine dans le lait ; d'autre part, cassez le chocolat en petits morceaux et faites-le fondre doucement au bain-marie dans un bol.

3. Ajoutez le chocolat fondu et le lait à la gélatine dans le mélange de sucre et de jaunes d'œufs. Versez cette préparation dans une casserole placée au bain-marie et faites cuire en remuant sans arrêt et sans laisser bouillir jusqu'à obtenir une consistance bien épaisse.

4. Réduisez en grosse poudre 16 petits biscuits et ajoutez-les au mélange. Versez le tout dans un moule en couronne et faites prendre pendant 4 heures dans le réfrigérateur. Démoulez sur un plat rond et décorez avec le reste des biscuits.

Chocolat frappé

6 personnes • Préparation : 15 minutes
Cuisson : 15 minutes

- 250 g de chocolat Lindt® L'Universel
- 75 cl de lait
- 25 g de cacao en poudre
- 6 boules de glace à la vanille
- 6 c. à s. de crème fleurette

1. Hachez le chocolat finement. Faites chauffer le lait dans une casserole avec 50 cl d'eau et le cacao en poudre.

2. Ajoutez le chocolat haché et mélangez pour faire fondre. Portez à la limite de l'ébullition et laissez frémir pendant 5 minutes. Laissez refroidir complètement.

3. Mettez une boule de glace dans un mixer, ajoutez une tasse de chocolat et mixez rapidement, puis ajoutez 1 cuillerée à soupe de crème et mixez à nouveau. Versez dans un grand verre.

4. Confectionnez les autres chocolats frappés de la même façon et servez aussitôt.

Marquise extra au chocolat

6 personnes • Préparation : 20 minutes
Cuisson : 10 minutes • Réfrigération : 24 heures

- 150 g de chocolat Lindt® L'Universel
- 150 g de beurre extra fin
- 2 œufs
- 80 g de sucre glace

1. Sortez le beurre du réfrigérateur assez tôt pour qu'il ramollisse légèrement à température ambiante. Cassez les œufs et séparez les blancs des jaunes. Cassez le chocolat en petits morceaux et faites-les fondre au bain-marie.

2. Lorsque le chocolat est entièrement fondu, ajoutez 125 g de beurre et mélangez. Incorporez en fouettant vivement les jaunes d'œufs et le sucre glace.

3. Fouettez les blancs d'œufs et incorporez-les délicatement. Beurrez largement un moule à manqué et versez la préparation dedans. Mettez au réfrigérateur (pas au congélateur) 24 heures pour faire durcir. Pour démouler, trempez le fond du moule dans de l'eau chaude et renversez la marquise sur un plat rond.

4. Vous pouvez décorer le dessus de mini-meringues, d'écorces d'oranges confites, de brisures de marrons glacés ou de grains de café à la liqueur.

Florentins au chocolat

12 pièces • Préparation : 25 minutes
Cuisson : 30 minutes

- 200 g de chocolat Lindt® L'Universel cassé en petits morceaux
- 100 g de beurre
- 70 g de sucre
- 1 c. à s. de crème fraîche
- 4 c. à s. d'écorces de fruits confits hachés
- 4 c. à s. de cerises confites hachées
- 2 c. à s. d'amandes effilées
- 2 c. à s. de farine

1. Faites fondre 70 g de beurre dans une casserole sur feu doux, ajoutez le sucre et la crème. Portez lentement à ébullition, faites bouillir 1 minute, retirez du feu et laissez tiédir.

2. Versez le tout dans un saladier, ajoutez les fruits confits, les amandes et la farine. Mélangez intimement. Beurrez deux plaques à pâtisserie et préchauffez le four à 180 °C (th. 6).

3. Déposez sur les plaques des cuillerées de pâte bien espacées. Faites cuire pendant 10 à 12 minutes, laissez tiédir, puis faites refroidir sur une grille.

4. Faites fondre le chocolat au bain-marie dans un grand bol. Étalez le chocolat fondu sur une face de chaque florentin et tracez des lignes décoratives à la fourchette quand il est encore mou. Laissez durcir.

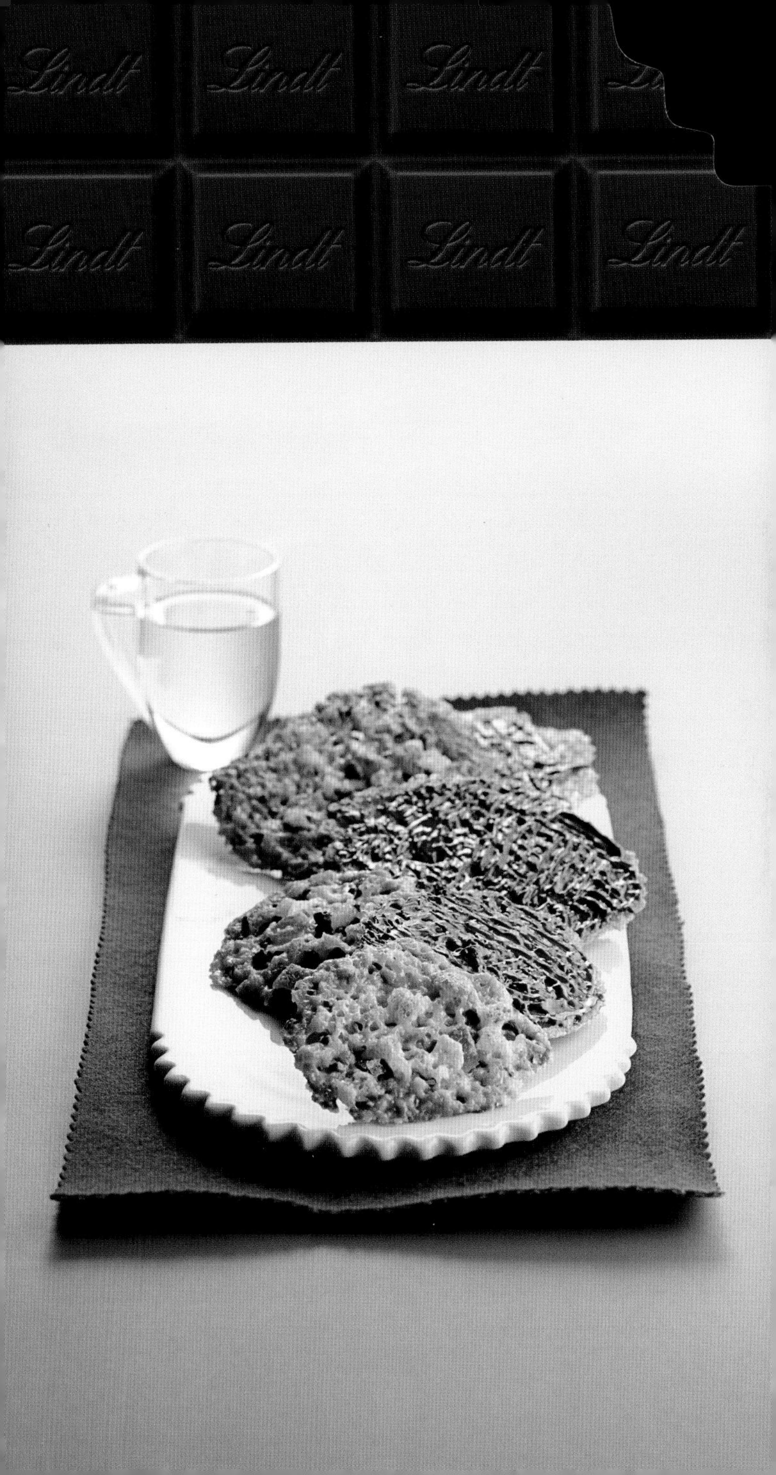

Pavé choco-whisky

**6 personnes • Préparation : 30 minutes
Cuisson : 40 minutes**

- 200 g de chocolat Lindt® L'Universel
- 4 œufs
- 200 g de sucre semoule
- 20 cl de crème fraîche
- 200 g de farine
- 1 petit verre de whisky
- 20 g de beurre

1. Cassez les œufs dans une terrine, ajoutez le sucre et placez le récipient au bain-marie frémissant. Fouettez le mélange vivement pendant 10 minutes jusqu'à l'obtention d'une consistance onctueuse. Retirez la terrine du bain-marie.

2. Râpez grossièrement le chocolat et incorporez-le au mélange précédent. Mélangez intimement, puis ajoutez la crème fraîche. Incorporez ensuite la farine tamisée, petit à petit, puis ajoutez le whisky.

3. Chemisez un moule carré de papier sulfurisé, beurrez-le, puis versez la pâte dedans. Faites cuire dans le four pendant 30 minutes à 210 °C (th. 7). Vérifiez la cuisson en enfonçant une brochette en métal au milieu : elle doit ressortir sèche. Démoulez et laissez refroidir avant de servir.

Mousse tout-choco

6 personnes • Préparation : 20 minutes
Réfrigération : 6 heures minimum

- 200 g de chocolat Lindt® L'Universel
- 4 c. à s. de crème fleurette
- 50 g de beurre
- 2 jaunes d'œufs
- 5 blancs d'œufs
- 1 c. à s. de sucre en poudre
- 1 c. à s. de cacao en poudre
- Sel fin

1. Hachez le chocolat en petits morceaux. Faites chauffer la crème dans une casserole et ajoutez le chocolat haché. Faites fondre en remuant, puis incorporez le beurre. Mélangez intimement. Ajoutez ensuite les jaunes d'œufs l'un après l'autre, hors du feu, en mélangeant bien entre les deux.

2. Fouettez les blancs en neige très ferme en leur ajoutant le sucre, une pincée de sel et le cacao. Incorporez-les à la crème, sans trop travailler le mélange mais pour obtenir une texture mousseuse et homogène. On ne doit plus voir trace de blanc.

3. Versez dans une coupe de service ou des coupes individuelles et mettez au réfrigérateur pendant au moins 6 heures. Servez avec des tranches de brioche chaudes, des sablés ou des gaufrettes.

Soufflé 100 % chocolat

6 personnes • Préparation : 30 minutes
Cuisson : 40 minutes environ

- 200 g de chocolat Lindt® 70 %
- 6 œufs
- 40 g de fécule
- 120 g de sucre semoule
- 1 sachet de sucre vanillé
- 20 g de beurre
- Sucre glace

1. Cassez le chocolat en petits morceaux, mettez-les dans une casserole à fond épais avec 1 cuillerée à soupe d'eau et faites fondre au bain-marie douce-ment. Cassez les œufs et séparez les blancs des jaunes. Tamisez la fécule et mélangez-la avec 60 g de sucre semoule.

2. Incorporez au chocolat fondu les jaunes d'œufs, deux par deux, puis le sucre vanillé et enfin le mé-lange de fécule et de sucre.

3. Battez les blancs en neige ferme et ajoutez-leur 50 g de sucre. Beurrez un moule à soufflé de 16 cm de diamètre et poudrez-le avec 10 g de sucre. Incorpo-rez délicatement les blancs à la préparation et versez celle-ci dans le moule.

4. Faites cuire pendant 25 à 30 minutes dans le four à 210 °C (th. 7). Sortez le soufflé du four, poudrez de sucre glace et servez aussitôt.

Poires
Belle Hélène

6 personnes • Préparation : 15 minutes
Cuisson : 25 minutes

- 150 g de chocolat Lindt® L'Universel
- 6 belles poires williams juste mûres
- 50 g de sucre semoule
- 30 g de beurre
- 1 l de glace à la vanille

1. Pelez les poires en les laissant entières et sans enlever la queue si possible. Faites-les cuire dans une casserole pendant 15 minutes avec une tasse d'eau et le sucre semoule dissous. Quand elles sont tendres, égouttez-les et réservez-les au frais dans un compotier.

2. Faites réduire le sirop de moitié dans une petite casserole, ajoutez le chocolat en morceaux et faites-le fondre doucement en remuant. Incorporez le beurre pour obtenir une sauce onctueuse et bien lisse.

3. Partagez la glace en portions et placez-les dans des coupes bien froides. Posez une poire pochée dessus et nappez abondamment de sauce chaude au chocolat. Servez aussitôt.

Soupe de pastèque aux éclats de chocolat

4 personnes • Préparation : 30 minutes
Cuisson : 10 minutes

- 100 g de chocolat Lindt® L'Universel
- 800 g de chair de pastèque
- 1 bâton de cannelle
- 100 g d'édulcorant pour cuisson
- 2 c. à s. de jus de citron

1. Concassez le chocolat en très petits morceaux. Coupez la chair de la pastèque en cubes réguliers.

2. Mettez les cubes de pastèque dans une casserole en acier inoxydable et ajoutez la cannelle, l'édulcorant pour cuisson et le jus de citron. Mélangez et faites chauffer tout doucement en remuant jusqu'à ce que le sucre soit bien fondu. Laissez frémir pendant quelques minutes, puis retirez du feu.

3. Retirez le bâton de cannelle et répartissez la soupe de pastèque dans des coupes. Ajoutez les éclats de chocolat noir, mélangez rapidement et servez.

Sabayon au chocolat

4 personnes • Préparation : 5 minutes
Cuisson : 8 minutes environ

- 150 g de chocolat Lindt® L'Universel
- 8 jaunes d'œufs
- 100 g de sucre en poudre
- 2 pincées de cannelle en poudre

1. Cassez le chocolat en morceaux dans une petite casserole et faites-le fondre au bain-marie, ou bien placez-le dans un bol et faites-le fondre au four à micro-ondes, jusqu'à l'obtention d'une consistance parfaitement lisse.

2. Dans une casserole à fond épais, mettez les jaunes d'œufs et le sucre. Battez au fouet jusqu'à l'obtention d'une mousse couleur jaune pâle. Placez cette casserole au bain-marie et fouettez sans arrêt, en évitant toute ébullition, jusqu'à ce que la crème épaississe.

3. Toujours en fouettant, incorporez petit à petit le chocolat fondu, puis la cannelle. Répartissez le sabayon dans des verres et servez aussitôt.

Tourte chocolat-cannelle

6 personnes • Préparation : 30 minutes • Cuisson : 1 h 45

- 180 g de chocolat Lindt® L'Universel
- 350 g de farine
- 180 g de beurre + un peu pour le moule
- 75 g de sucre en poudre
- 3 jaunes d'œufs
- 10 cl de crème fraîche épaisse
- Cannelle en poudre
- Sel fin

1. Versez la farine tamisée sur le plan de travail, faites une fontaine au milieu, ajoutez le beurre ramolli coupé en morceaux, le sucre, une pincée de sel et 2 jaunes d'œufs.

2. Mélangez du bout des doigts en ajoutant la crème, puis malaxez le tout en ramenant la farine de l'extérieur vers l'intérieur.

3. Étalez la pâte sur 5 mm d'épaisseur. Découpez deux disques dedans, l'un un peu plus grand que l'autre. Garnissez un moule beurré avec le plus grand. Répartissez le chocolat cassé en petits morceaux, poudrez légèrement de cannelle et posez le deuxième disque par-dessus. Soudez les bords en les pinçant fermement avec les doigts.

4. Badigeonnez le dessus avec le jaune d'œuf restant. Faites cuire dans le four à 180 °C (th. 6) pendant 1 h 45 environ. Laissez refroidir avant de servir.

Macarons au chocolat

30 macarons environ
Préparation : 20 minutes • Cuisson : 25 minutes

- 80 g de chocolat Lindt® L'Universel
- 250 g de poudre d'amandes
- 200 g de sucre glace
- 3 blancs d'œufs
- 2 c. à s. de marmelade d'abricots

1. Réunissez dans un saladier la poudre d'amandes et le sucre glace. Mélangez intimement, puis incorporez le chocolat fondu jusqu'à obtenir une consistance homogène.

2. Ajoutez les blancs d'œufs sans les battre en remuant avec une spatule, puis incorporez la marmelade d'abricots.

3. Préchauffez le four à 160 °C (th. 5/6). Garnissez la plaque du four d'une feuille de papier sulfurisé. À l'aide d'une poche à douille, déposez des petits tas de pâte réguliers en les espaçant bien.

4. Humectez le dessus de la pâte avec un pinceau juste passé dans l'eau. Enfournez pour 20 à 25 minutes. Laissez refroidir hors du four, puis détachez les macarons du papier.

5. Vous pouvez coller les macarons deux par deux avec de la ganache (80 g de chocolat Lindt® cassé en morceaux, fondu lentement en remuant dans 150 g de crème fleurette).

Fondant au chocolat

6 à 8 personnes • Préparation : 15 minutes
Cuisson : 25 minutes

- 250 g de chocolat Lindt® L'Universel
- 6 œufs
- 150 g de beurre ramolli
- 130 g de sucre glace
- 2 c. à s. de farine
- 130 g de poudre d'amandes

1. Préchauffez le four à 170 °C (th. 5/6). Cassez le chocolat en morceaux et faites-le fondre au micro-ondes avec 2 cuillerées à soupe d'eau pendant 2 minutes (ou au bain-marie sur feu doux). Cassez les œufs et séparez les blancs des jaunes.

2. Mélangez dans une terrine 130 g de beurre ramolli avec le chocolat fondu, puis incorporez les jaunes d'œufs, le sucre glace, la farine et la poudre d'amandes. Fouettez les blancs en neige bien ferme et ajoutez-les délicatement à la préparation.

3. Beurrez un moule rond à manqué et versez la pâte dedans. Faites cuire 20 minutes. Démoulez et laissez refroidir. Servez nature ou avec une crème anglaise.

Tiramisu

6 personnes • Préparation : 30 minutes
Réfrigération : 2 heures

- 50 g de chocolat Lindt® 70 %
- 4 jaunes d'œufs
- 150 g de sucre en poudre
- 250 g de mascarpone
- 25 cl de crème fraîche épaisse
- 3 c. à s. de marsala
- 3 c. à s. de crème de cacao
- 30 boudoirs
- 30 cl de café fort
- 3 c. à s. de cacao non sucré

1. Fouettez les jaunes d'œufs et le sucre dans une grande terrine pendant 10 minutes. Dans une autre terrine, fouettez le mascarpone et la crème. Incorporez le marsala et la crème de cacao, puis le mélange œufs-sucre.

2. Versez le tiers de la préparation dans un plat rectangulaire de 20 x 30 cm et 8 cm de profondeur environ. Trempez les biscuits un par un dans le café et rangez-les sur la crème. Recouvrez-les de crème, puis continuez à remplir le moule en alternant les ingrédients.

3. Poudrez le dessus de cacao, puis ajoutez le chocolat râpé. Mettez dans le réfrigérateur 2 heures avant de servir.

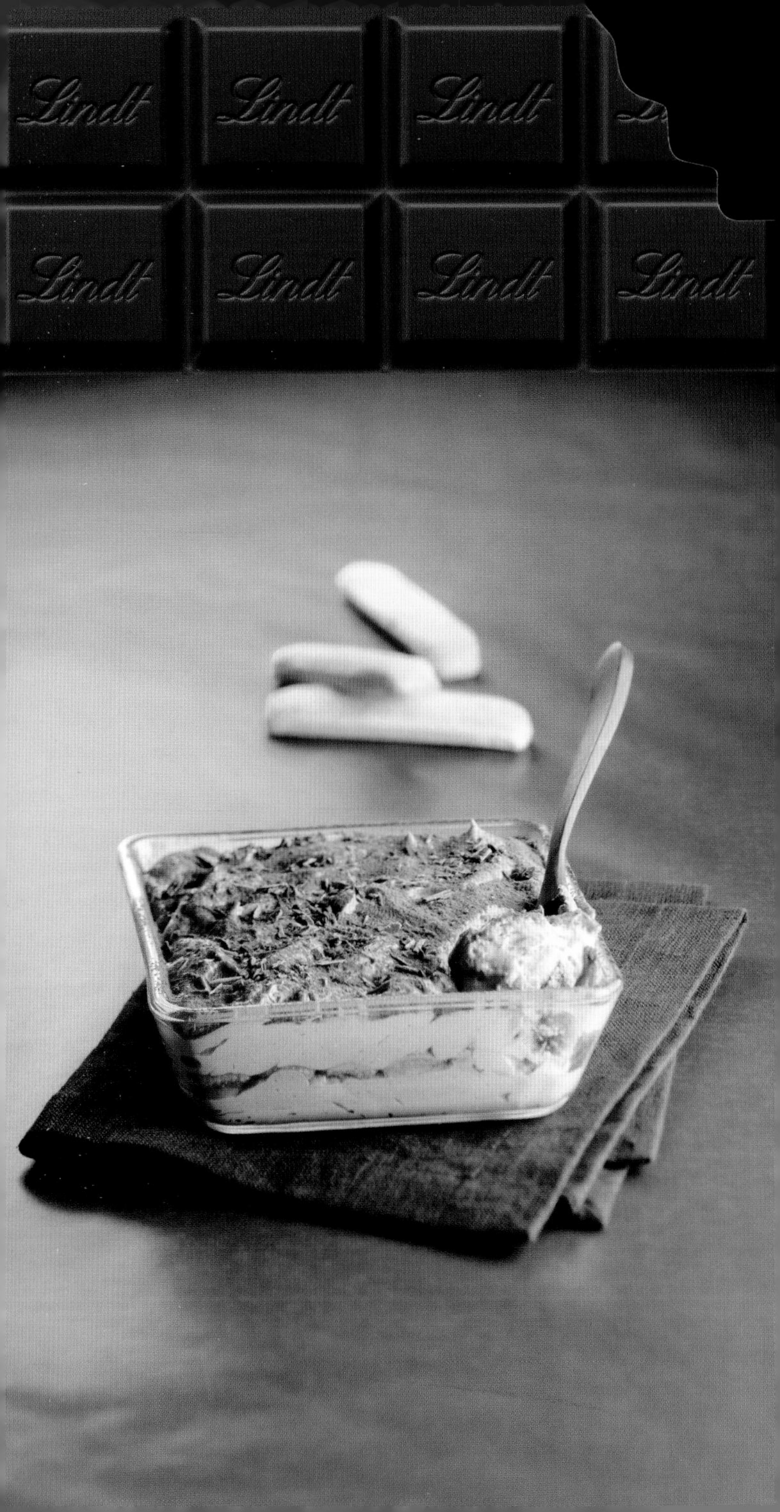
Lindt
Lindt
Lindt
Lindt
Lindt
Lindt
Lindt

Papillotes fraises-chocolat

**4 personnes • Préparation : 20 minutes
Cuisson : 10 minutes**

- 8 carrés de chocolat Lindt® L'Universel
- 500 g de grosses fraises mûres
- 1 orange
- 1 c. à s. d'édulcorant
- 1 c. à c. de vinaigre balsamique
- 1/2 c. à c. de poivre noir du moulin

1. Lavez les fraises rapidement sous l'eau froide si nécessaire, puis retirez la queue. Coupez-les en deux dans la hauteur. Prélevez le zeste de l'orange et faites-le bouillir deux fois de suite, puis égouttez-le et hachez-le grossièrement.

2. Répartissez les fraises dans 4 papillotes en silicone ou 4 carrés de papier sulfurisé. Ajoutez le zeste d'orange, puis poudrez d'édulcorant et arrosez avec un peu de jus d'orange mélangé avec le vinaigre balsamique.

3. Poudrez légèrement de poivre, posez 2 carrés de chocolat par papillote, sur les fraises. Fermez les papillotes et rangez-les dans un plat allant au four. Faites cuire pendant une dizaine de minutes à 200 °C (th. 6/7). Posez les papillotes sur des assiettes et ouvrez-les juste avant de servir.

Galette croquante au chocolat

6 personnes • Préparation : 30 minutes
Cuisson : 20 minutes

- 100 g de chocolat Lindt® L'Universel
- 100 g de beurre
- 150 g de sucre
- 50 g de farine
- 3 œufs entiers

1. Faites tiédir au bain-marie le chocolat cassé en morceaux. Pendant ce temps, faites ramollir le beurre en pommade avec une spatule dans une terrine. Mélangez ces deux ingrédients et travaillez le mélange jusqu'à obtenir une consistance lisse.

2. Mélangez par ailleurs le sucre, la farine et les œufs battus en omelette. Incorporez ensuite la pâte au chocolat et travaillez le tout pendant une dizaine de minutes.

3. Versez la préparation dans un moule à tarte anti-adhésif de 22 cm de diamètre et faites cuire dans le four à 200 °C (th. 6/7) pendant une vingtaine de minutes. Laissez refroidir et démoulez.

4. Vous pouvez glacer le dessus de la galette à la sortie du four avec une tablette de chocolat au lait Lindt®, fondue dans un peu de lait sucré et une noix de beurre.

Glace au chocolat

4 personnes • Préparation : 15 minutes
Cuisson : 15 minutes • Congélation : 2 heures

- 100 g de chocolat Lindt® L'Universel
- 50 cl de lait
- 30 g de tapioca
- 2 jaunes d'œufs
- 50 g de sucre semoule
- 100 g de crème fleurette

1. Versez le lait dans une casserole. Ajoutez le chocolat cassé en petits morceaux. Portez lentement à ébullition, puis versez le tapioca en pluie et faites cuire pendant 3 minutes (pas davantage) en remuant. Retirez du feu.

2. Mettez les jaunes d'œufs dans une terrine avec le sucre et travaillez le mélange pendant 5 minutes, puis versez dessus la préparation au lait. Versez à nouveau le tout dans une casserole et faites épaissir en remuant. Retirez du feu au premier bouillon.

3. Filtrez le contenu de la casserole dans une passoire fine et laissez refroidir. Fouettez vivement la crème fleurette et incorporez-la à la crème au chocolat.

4. Versez dans un moule à glace et faites prendre dans le congélateur pendant 1 heure. Versez la glace qui a commencé à prendre dans un saladier, battez au fouet pendant 3 minutes et faites congeler à nouveau pendant 1 heure.

Balthazar
à la chantilly

6 à 8 personnes • Préparation : 30 minutes
Cuisson : 18 minutes

- 300 g de chocolat Lindt® L'Universel
- 70 g de beurre
- 3 œufs
- 75 g de sucre semoule
- 50 g de farine
- 3 c. à s. de Cointreau®
- 1 c. à c. de levure alsacienne
- 25 cl de crème fraîche
- 50 g de sucre glace

1. Faites fondre la moitié du chocolat coupé en petits morceaux au bain-marie avec la moitié du beurre. Cassez les œufs et séparez les blancs des jaunes.

2. Travaillez dans une terrine les jaunes d'œufs et le sucre semoule. Ajoutez la farine tamisée, le chocolat fondu, 1 cuillerée à soupe de Cointreau® et la levure. Battez les blancs en neige et incorporez-les.

3. Versez dans un moule à savarin beurré et faites cuire dans le four à 220 °C (th. 7/8) 10 minutes. Réduisez la chaleur à 180 °C (th. 6) et faites cuire encore 8 minutes. Sortez du four et laissez refroidir.

4. Démoulez la couronne au centre d'un plat. Faites fondre le reste de chocolat au bain-marie avec 2 cuillerées à soupe d'eau et le reste de beurre. Ajoutez le reste de Cointreau®. Nappez le gâteau de ce glaçage et remplissez le centre de la crème fraîche fouettée en chantilly avec le sucre glace.

Mousse légère au cacao

4 personnes • Préparation : 15 minutes
Réfrigération : 30 minutes

- 4 fins carrés de chocolat Lindt® 70 %
- 2 pots de yaourt nature à 0 %
- 200 g de fromage blanc mousseux à 0 %
- 1 c. à s. d'édulcorant
- 8 c. à c. de cacao en poudre
- Quelques gouttes d'extrait de vanille
- 2 blancs d'œufs
- 4 kiwis
- Sel fin

1. Mélangez dans une jatte le yaourt et le fromage blanc. Incorporez l'édulcorant et les trois quarts du cacao. Fouettez pendant quelques secondes en ajoutant l'extrait de vanille.

2. Battez les blancs d'œufs en neige dans un saladier en leur ajoutant une pincée de sel et le reste de cacao. Incorporez ces blancs à la préparation précédente.

3. Répartissez cette préparation dans des ramequins et mettez-les au frais pendant 30 minutes. Pendant ce temps, pelez les kiwis et coupez-les en rondelles. Disposez les ramequins frais sur des assiettes de service, posez sur le dessus un carré de chocolat. Entourez de rondelles de kiwis.

Rosaces d'ananas, crème au chocolat

4 personnes • Préparation : 30 minutes
Cuisson : 10 minutes

- 80 g de chocolat Lindt® L'Universel
- 1 ananas bien mûr, pas trop gros
- 25 cl de lait écrémé
- 1 gousse de vanille fendue en deux
- 6 c. à c. d'édulcorant
- 2 jaunes d'œufs
- 6 c. à c. de farine

1. Coupez la base et les feuilles de l'ananas puis pelez-le. Détaillez-le en fines rondelles et évidez le centre avec un vide-pomme. Répartissez ces rondelles en rosace sur des assiettes et réservez au frais.

2. Versez le lait dans une casserole, ajoutez le chocolat cassé en petits morceaux ou grossièrement râpé, la gousse de vanille et l'édulcorant. Faites chauffer en remuant jusqu'à ce que le chocolat soit fondu.

3. Mettez les jaunes d'œufs dans une jatte, ajoutez la farine et mélangez intimement. Versez le lait au chocolat par-dessus, après avoir retiré la vanille. Mélangez et remettez la crème sur le feu.

4. Laissez épaissir en remuant sans arrêt jusqu'à la limite de l'ébullition. Nappez les rosaces d'ananas bien froides de cette crème chaude et servez aussitôt.

Milk-shake chocolat-banane

4 personnes • Préparation : 10 minutes

- 2 carrés de chocolat Lindt® L'Universel
- 2 bananes
- 1 l de lait
- 1 sachet de sucre vanillé
- 4 grosses boules de glace au chocolat
- 1 c. à s. de cacao

1. Pelez les bananes et coupez-les en morceaux, puis passez-les au mixer en versant petit à petit le lait très froid et le sucre vanillé.

2. Procédez ensuite en deux fois : réservez la moitié du mélange précédent dans un pichet ou un saladier ; ajoutez deux boules de glace au chocolat dans le reste, avec le chocolat fondu, puis mixez rapidement et répartissez dans des grands verres ; poudrez le dessus de cacao.

3. Mixez ensuite le reste du mélange lait froid-banane avec le reste de glace au chocolat et mixez également. Répartissez dans les deux autres verres et poudrez de cacao. Servez aussitôt.

Cake marbré choco-vanille

8 personnes • Préparation : 30 minutes
Cuisson : 45 minutes

- 3 carrés de chocolat Lindt® L'Universel
- 280 g de beurre
- 200 g de sucre en poudre
- 5 œufs
- 250 g de farine
- 1 sachet de levure alsacienne
- 2 sachets de sucre vanillé

1. Ramollissez 250 g de beurre à la spatule dans une terrine et ajoutez le sucre. Battez le mélange en incorporant les œufs un par un. Travaillez la pâte jusqu'à ce qu'elle soit bien lisse. Tamisez la farine avec la levure et ajoutez-la d'un seul coup à la pâte. Travaillez celle-ci à nouveau jusqu'à obtenir une consistance homogène.

2. Versez la moitié de la pâte dans une jatte et incorporez le sucre vanillé. Incorporez le chocolat fondu à l'autre moitié.

3. Beurrez un grand moule à cake et versez dedans le tiers de la pâte à la vanille. Ajoutez ensuite le tiers de la pâte au chocolat et finissez de remplir le moule en alternant les deux pâtes, mais sans les mélanger.

4. Faites cuire dans le four préchauffé à 200 °C (th.6/7) pendant 45 minutes environ. Vérifiez la cuisson en piquant au centre du gâteau la lame d'un couteau, qui doit ressortir sèche. Démoulez et laissez refroidir

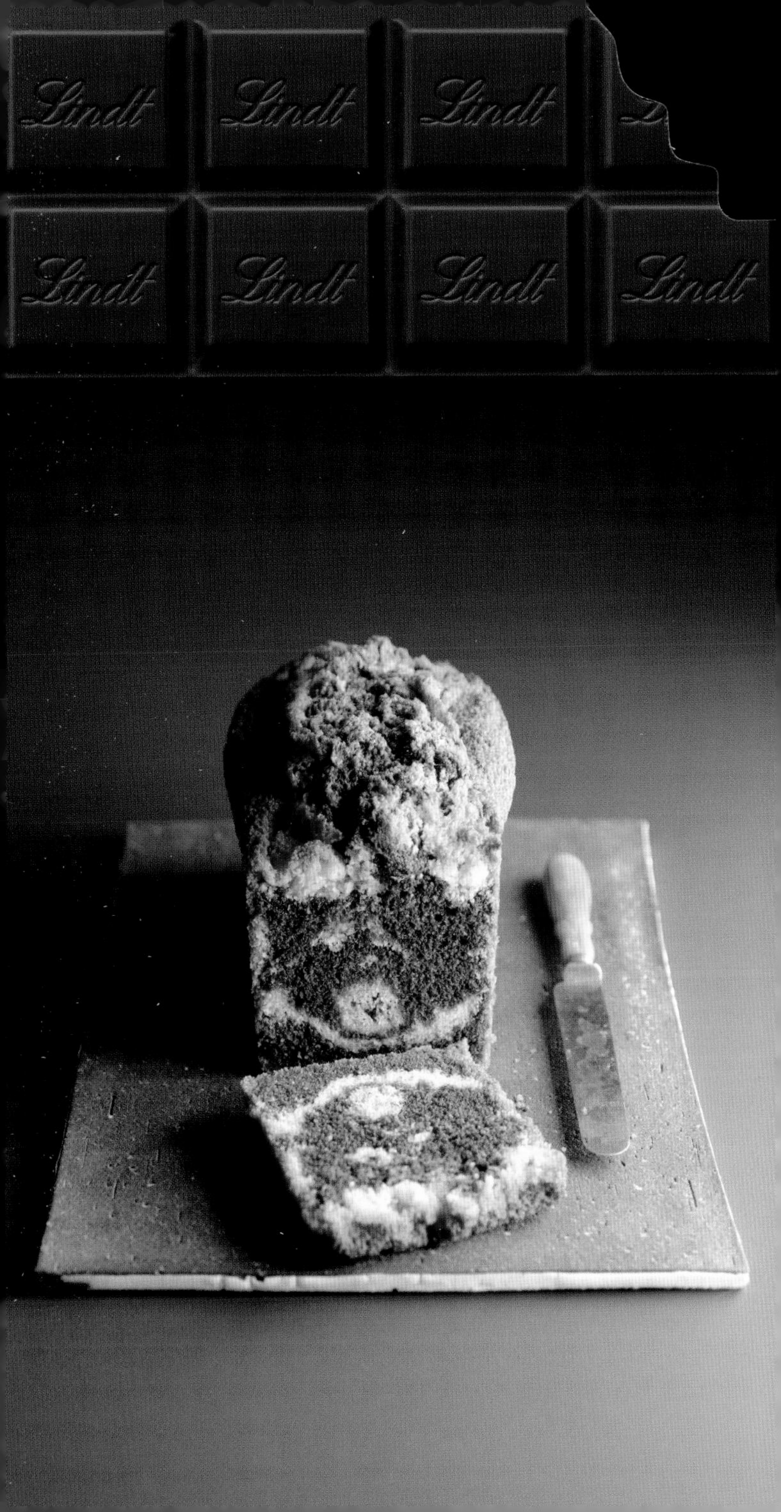
Lindt
Lindt
Lindt
Lindt
Lindt
Lindt
Lindt

Verrines de chocolat au rhum

4 personnes • Préparation : 5 minutes
Cuisson : 11 minutes

- 150 g de chocolat Lindt® L'Universel
- 50 cl de lait
- 4 jaunes d'œufs
- 125 g de sucre en poudre
- 3 c. à s. de rhum
- 1 gousse de vanille

1. Cassez le chocolat en petits morceaux dans une casserole, ajoutez 2 cuillerées à soupe de lait et faites fondre sur feu doux, puis versez le reste de lait et délayez en remuant sur feu doux pendant 3 minutes environ.

2. Travaillez vivement les jaunes d'œufs et le sucre dans une terrine jusqu'à ce que le mélange soit mousseux et jaune pâle. Ajoutez le rhum. Fendez la gousse de vanille en deux, grattez les graines et ajoutez-les. (Vous pouvez conserver la gousse pour parfumer du sucre en poudre.)

3. Versez doucement le chocolat chaud sur les jaunes d'œufs au sucre et mélangez intimement, puis versez le tout dans une casserole. Faites chauffer tout doucement pour faire épaissir, sans cesser de fouetter, pendant 8 minutes environ, en évitant toute ébullition. Servez dans des verres.

Muffins au chocolat

24 pièces • Préparation : 15 minutes
Cuisson : 15 à 20 minutes

- 150 g de chocolat Lindt® L'Universel
- 190 g de beurre
- 250 g de sucre
- 3 œufs
- 200 g de farine
- 125 g de cacao en poudre
- 2 c. à c. de levure alsacienne
- 1/2 c. à c. de sel
- 25 cl de lait

1. Tapissez (fond et parois) 24 moules à brioches individuelles avec du papier sulfurisé. Travaillez dans une terrine le beurre ramolli et le sucre jusqu'à obtenir une consistance de crème mousseuse. Incorporez les œufs l'un après l'autre en mélangeant vigoureusement.

2. Tamisez la farine avec le cacao, la levure chimique et le sel. Incorporez ce mélange à la préparation précédente ainsi que le lait en le versant petit à petit.

3. Mélangez jusqu'à obtenir une consistance homogène, puis incorporez le chocolat noir coupé en petits fragments. Répartissez la pâte dans les moules en les remplissant à moitié. Faites cuire dans le four à 190° C (th. 6/7) pendant 15 à 20 minutes. Laissez refroidir avant de démouler.

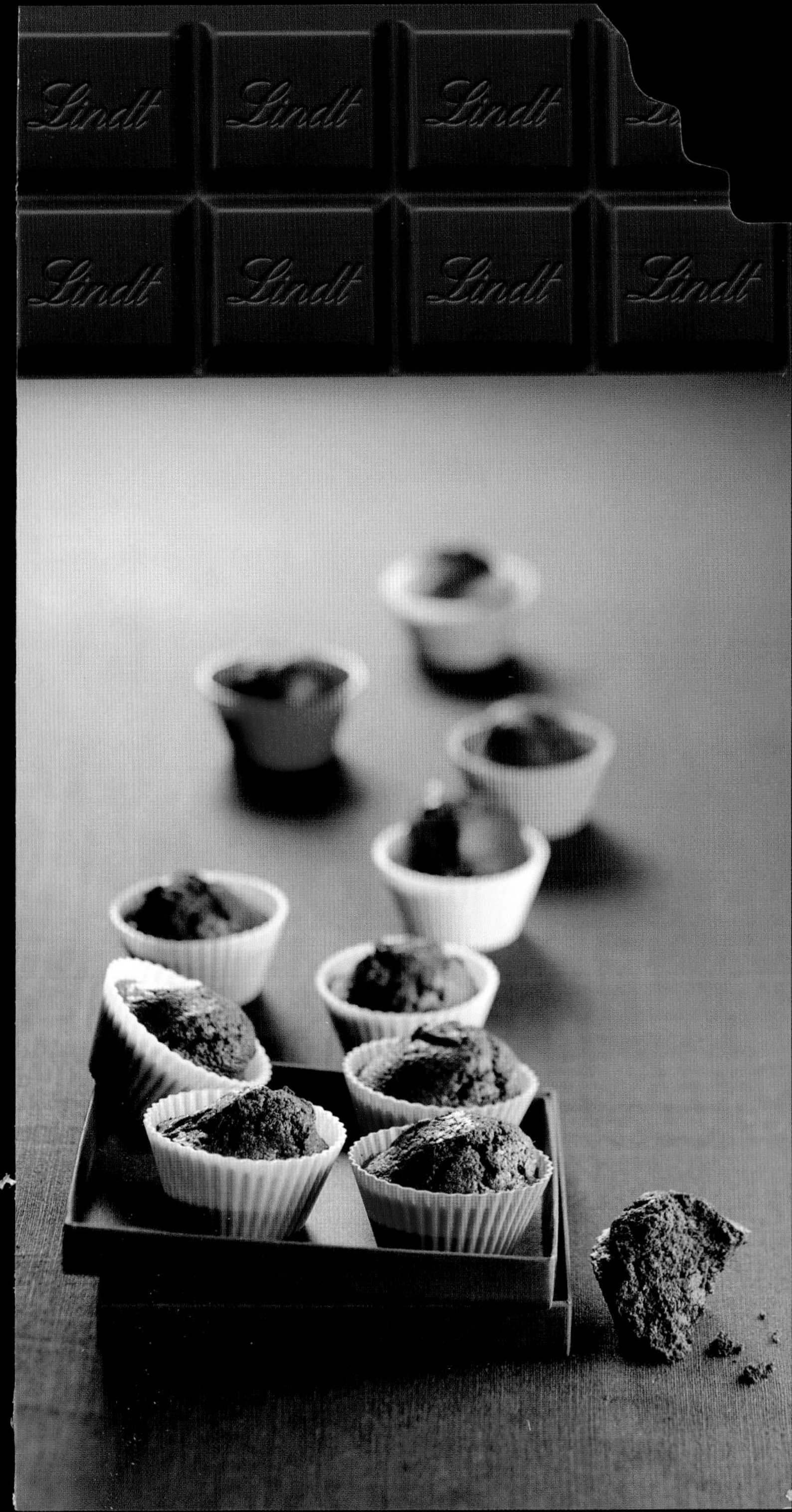
Lindt

Index

Marquise extra au chocolat **18**

Milk-shake chocolat-banane **54**

Mousse légère au cacao **50**

Mousse tout-choco **24**

Muffins au chocolat **60**

Papillotes fraises-chocolat **42**

Pavé choco-whisky **22**

Poires Belle Hélène **28**

Rosaces d'ananas, crème au chocolat **52**

Sabayon au chocolat **32**

Soufflé 100 % chocolat **26**

Soupe de pastèque aux éclats de chocolat **30**

Tiramisu **40**

Tourte chocolat-cannelle **34**

Verrines de chocolat au rhum **58**

Découvrez le catalogue des éditions Solar sur :
www.solar.fr
Testez chaque jour une nouvelle recette sur
www.solar.fr rubrique « Club des Gourmands ».

Direction éditoriale : Corinne Cesano
Édition : Delphine Depras et Delphine Aslan
Collaboration éditoriale : Béatrice Mounier
Graphisme et suivi artistique : Julia Philipps
Photographies : David Bonnier
Stylisme : Caline Fourcade
Mise en page : Sébastien Chenaud
Fabrication : Laurence Ledru-Duboscq
Photogravure : Point 4

Solar | un département **place des éditeurs**

place
des
éditeurs

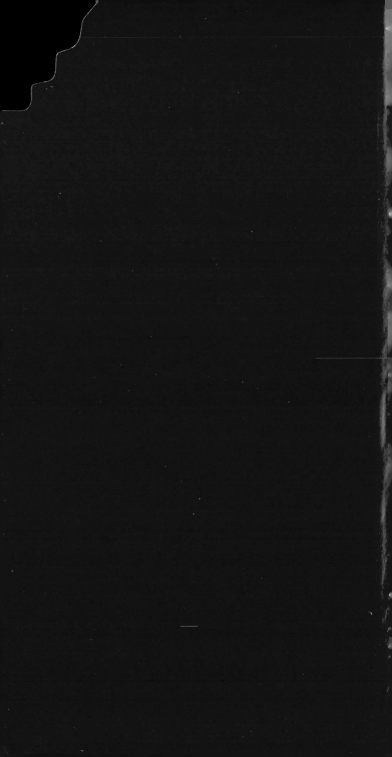